Meine ersten Wörter und Sätze

auf Deutsch und Englisch

gondolino

ISBN 978-3-8112-3323-2

Illustrationen: Christine Bietz, Anne Ebert, Irmtraud Guhe
Englische Fassung: Werner Färber
Printed in Poland
5 4 3 2 1

Der Umwelt zuliebe gedruckt auf chlorfrei gebleichtem Papier.

www.gondolino.de

Inhalt/contents

Im Wald/in the forest

Füchse leben in
ihrem Fuchsbau.
Foxes live in
their foxhole.

Die Eule kann im Dunkeln
sehr gut sehen.
The owl can see
very well in the dark.

Das Eichhörnchen wohnt
in einem Kobel.
The squirrel lives
in a drey.

Junge Wildschweine
tragen Streifen.
Young boars
wear stripes.

Die Feuerwehr/fire brigade

Das Blaulicht blinkt.
The blue light flashes.

Der Feuerwehrmann bekämpft das Feuer.
The firefighter fights the fire.

Der Schlauch ist am Hydrant befestigt.
The hose is fixed to the hydrant.

Die Kühe/cows

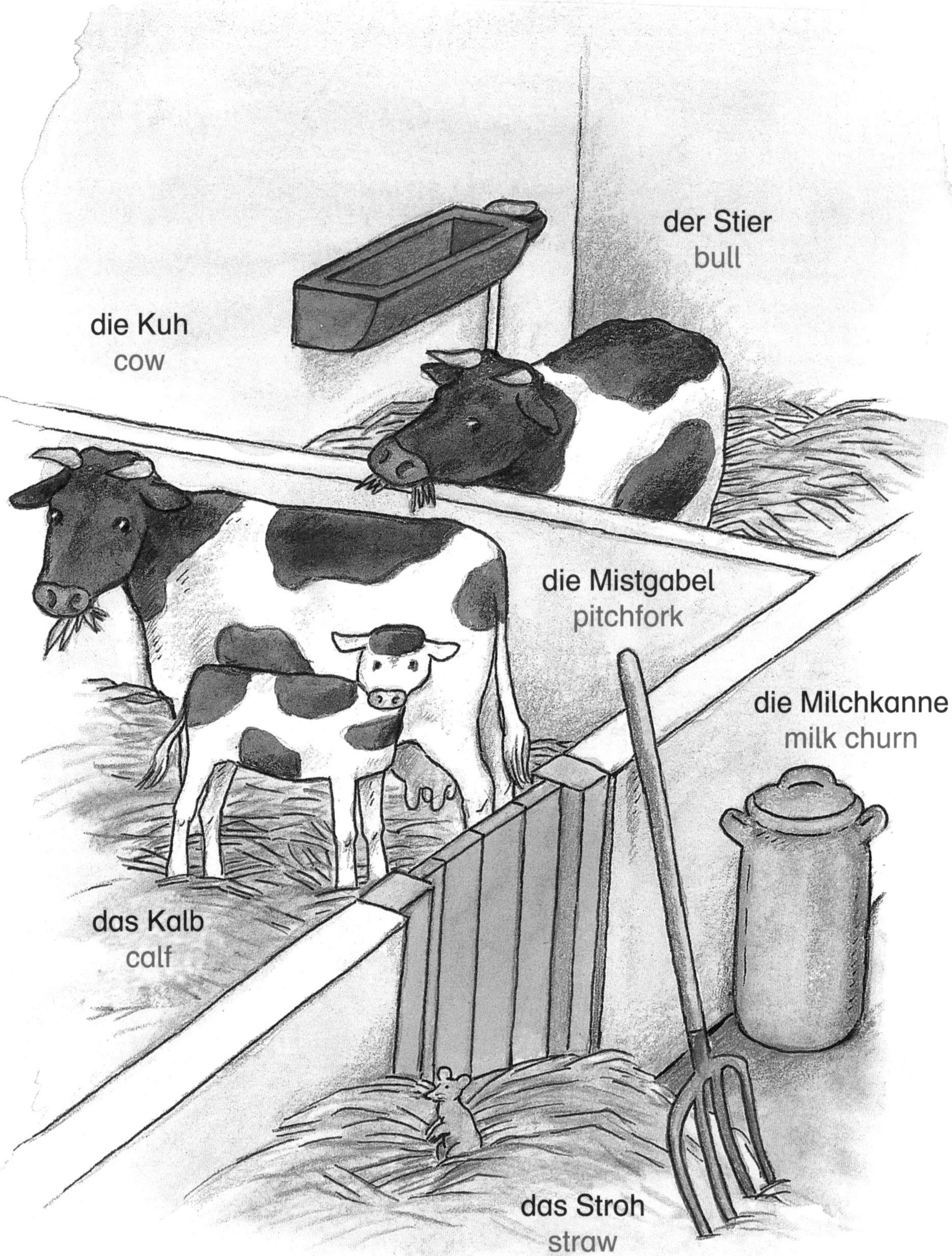

Die Kuh frisst Gras.
Das Kalb trinkt Milch.
The cow feeds on grass.
The calf feeds on milk.

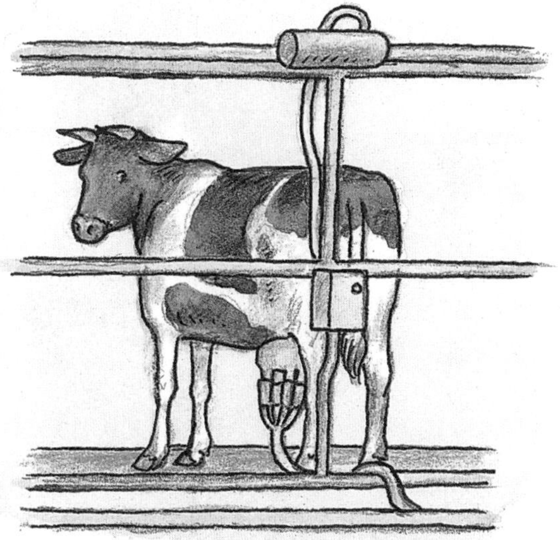

Die Melkmaschine
melkt die Kuh.
The milking machine
milks the cow.

Milch kann man zu Butter
oder Käse verarbeiten.
Milk can be processed
to butter or cheese.

Der Bahnhof/railway station

Fahrkarten werden
am Fahrkartenschalter verkauft.
Tickets are sold
at the ticket counter.

Reisende warten
auf den Zug.
Travellers wait
for the train.

Die Reise beginnt.
The journey begins.

Die Leute winken zum Abschied.
People wave goodbye.

Auf der Wiese/in the meadow

Die Bienen leben
im Bienenstock.
Bees live
in the beehive.

Die kleinen Hasen verstecken
sich in der Grube.
The little hares hide
inside the hollow.

Der Marienkäfer
frisst Blattläuse.
The ladybird
feeds on plant lice.

Der Schmetterling ernährt
sich von Nektar.
The butterfly feeds
on nectar.

Der Bus/bus

der Rückspiegel
rear mirror
101 · HBF
H
101
102
der Fahrplan
time table
der Busfahrer
bus driver
der Stadtbus
city bus
die Haltestelle
bus stop

Der Busfahrer verkauft
die Fahrkarten.
The bus driver sells
the tickets.

Eine Mutter mit einem Kinder-
wagen steigt in den Bus.
A mother with a pram
boards the bus.

In die Ferien fährt man mit dem Reisebus.
You go on holiday by coach.

Der Hund/dog

der Hund
dog
der Hundekorb
dog basket
der Welpe
puppy
die Pfote
paw
der Teppich
carpet

Jemand führt den Hund spazieren.
Der Hund läuft an der Leine.
Someone walks the dog.
The dog walks on the leash.

Der Hund wedelt
mit dem Schwanz.
The dog wags its tail.

Der Hund holt den Stock.
The dog fetches the stick.

Im Garten/in the garden

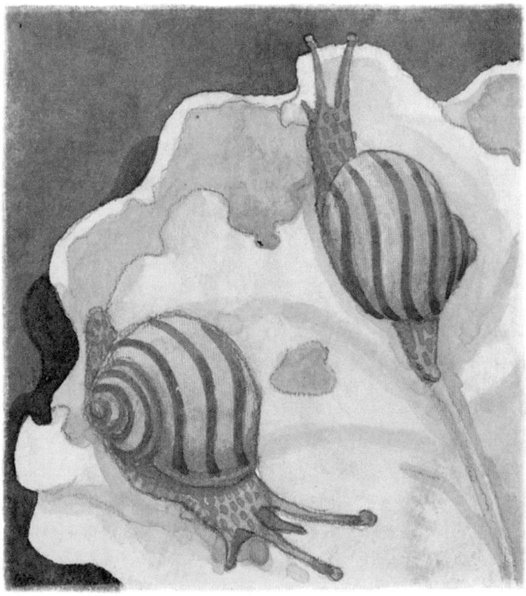

Schnecken lieben Salat.
Snails love salad.

Der Igel frisst einen Apfel.
The hedgehog eats an apple.

Während der Winterzeit
kannst du Vögel füttern.
During winter season
you can feed birds.

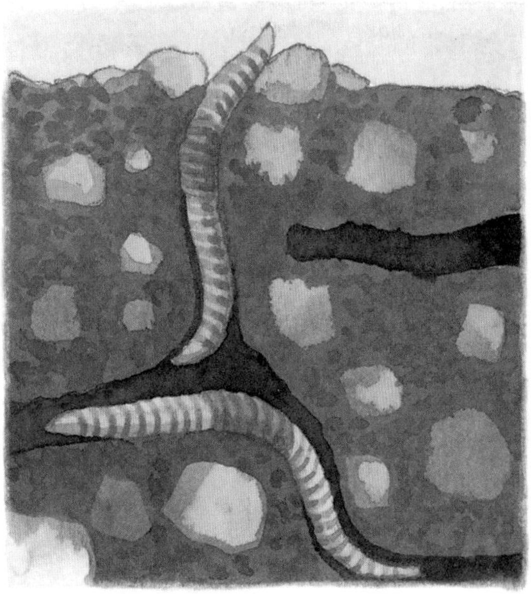

Regenwürmer leben
in der Erde.
Earthworms live
in the soil.

Die Kreuzung/crossroads

Wenn die Ampel rot zeigt: Warte.
Wenn die Ampel grün zeigt: Gehe.
If the traffic lights show red: wait.
If the traffic lights show green: walk.

Zwei Müllwerker
bei der Arbeit.
Two dustmen
at work.

Schülerlotsen halten die Autos an.
Die Kinder überqueren die Straße.
Lollipop men stop the cars.
The children cross the road.

Die Ballenpresse/baler

Die Ballenpresse kann auch Strohballen pressen.
The baler can also press bales of straw.

Die Ballen werden
im Schuppen gelagert.
The bales are stored
in the shed.

Im Stall ruht das Fohlen
auf Stroh.
In the barn the foal rests
on straw.

Die Katze/cat

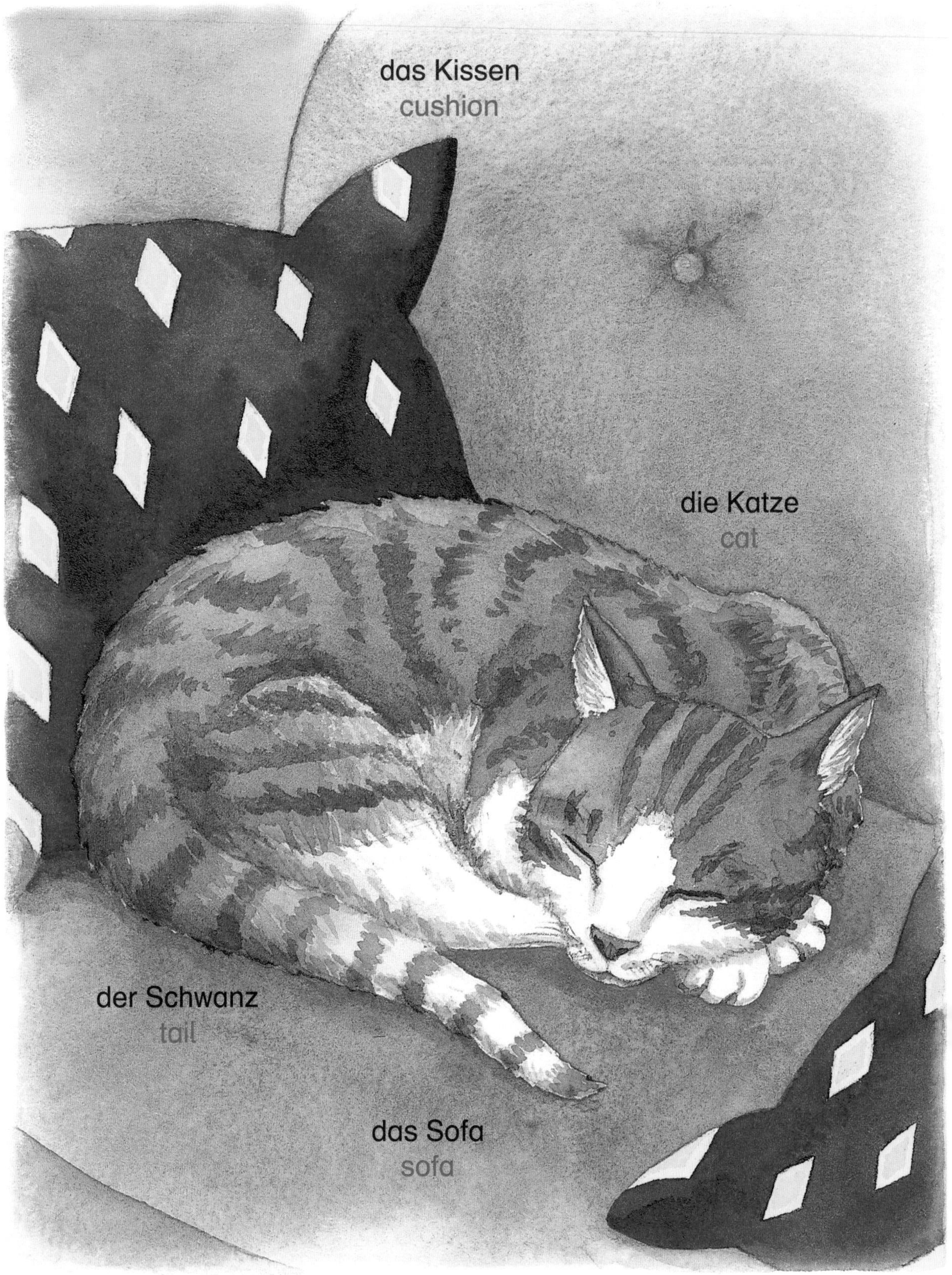

Die Katze hat
weiße Pfoten.
The cat has
white paws.

Die Katze spielt
mit dem Wollknäuel.
The cat plays
with the ball of wool.

Die Katze fängt
die Maus.
The cat catches
the mouse.

Die Katze klettert
auf einen Baum.
The cat climbs
a tree.

Der Lastwagen/truck

Der grüne Lastwagen
ist riesig.
The green truck
is huge.

Der Lastwagen braucht
große und breite Reifen.
The truck needs
big and wide tyres.

Der Lastwagenfahrer entlädt den Kipplaster.
The trucker unloads the dumper truck.

Im Zoo/at the zoo

die Giraffe
giraffe
ZOO
das Kassenhäuschen
pay kiosk
die Kamele
camels
KASSE
Rundgang
Affen
WC
Giraffen
Aquarium
Löwen
Reptilien
die Eintrittskarte
entrance ticket

Der erwachsene Elefant hat
einen Rüssel und Stoßzähne.
The adult elephant has
a trunk and tusks.

Der Tierpfleger füttert
den Seehund mit Fisch.
The zookeeper feeds
the seal with fish.

Im Streichelzoo dürfen die Kinder Tiere streicheln.
Die Ziege und das Schaf sind zahm.
In the petting zoo the children are allowed to pet animals.
The goat and the sheep are tame.

Die Bauernhoftiere/farm animals

Der Hund wohnt
in der Hundehütte.
The dog lives
in the doghouse.

Die Katze putzt
ihre Pfote.
The cat cleans
its paw.

Der Bauer schert seine Schafe.
The farmer shears his sheep.

Der Traktor/tractor

Der Bauer repariert
den alten Traktor.
The farmer repairs
the old tractor.

Die Traktorschaufel ist
voller Karotten.
The tractor bucket is
full of carrots.

Der Traktor kehrt zum Bauernhof zurück.
Der Anhänger ist mit Rüben beladen.
The tractor returns to the farm.
The trailer is loaded with turnips.

Die Schweine/pigs

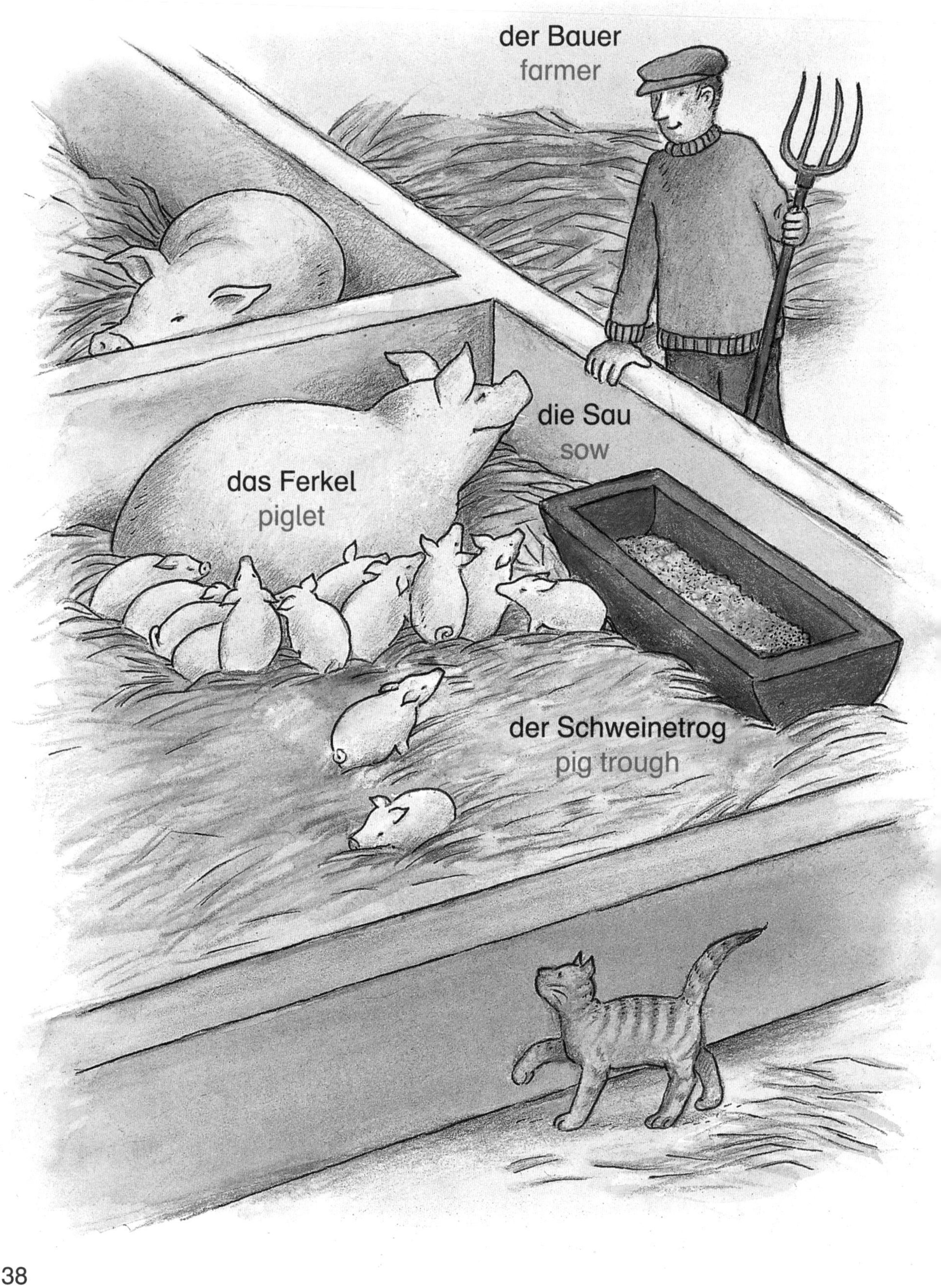

Die Schweine wälzen sich gerne im Schlamm.
Pigs like to wallow in the mud.

Die Ferkel saugen Milch an den Zitzen der Sau.
The piglets suck milk at the sow's teats.

Der Bagger/excavator

Der Baggerführer gräbt
mit seinem Bagger ein Loch.
The operator digs a hole
with his excavator.

Der Baggerführer leert
die Baggerschaufel.
The operator empties
the excavator bucket.

Der Baggerführer reißt mit der Baggerschaufel
die Straße auf.
The operator rips up the road
with the excavator bucket.

Das Reh/doe

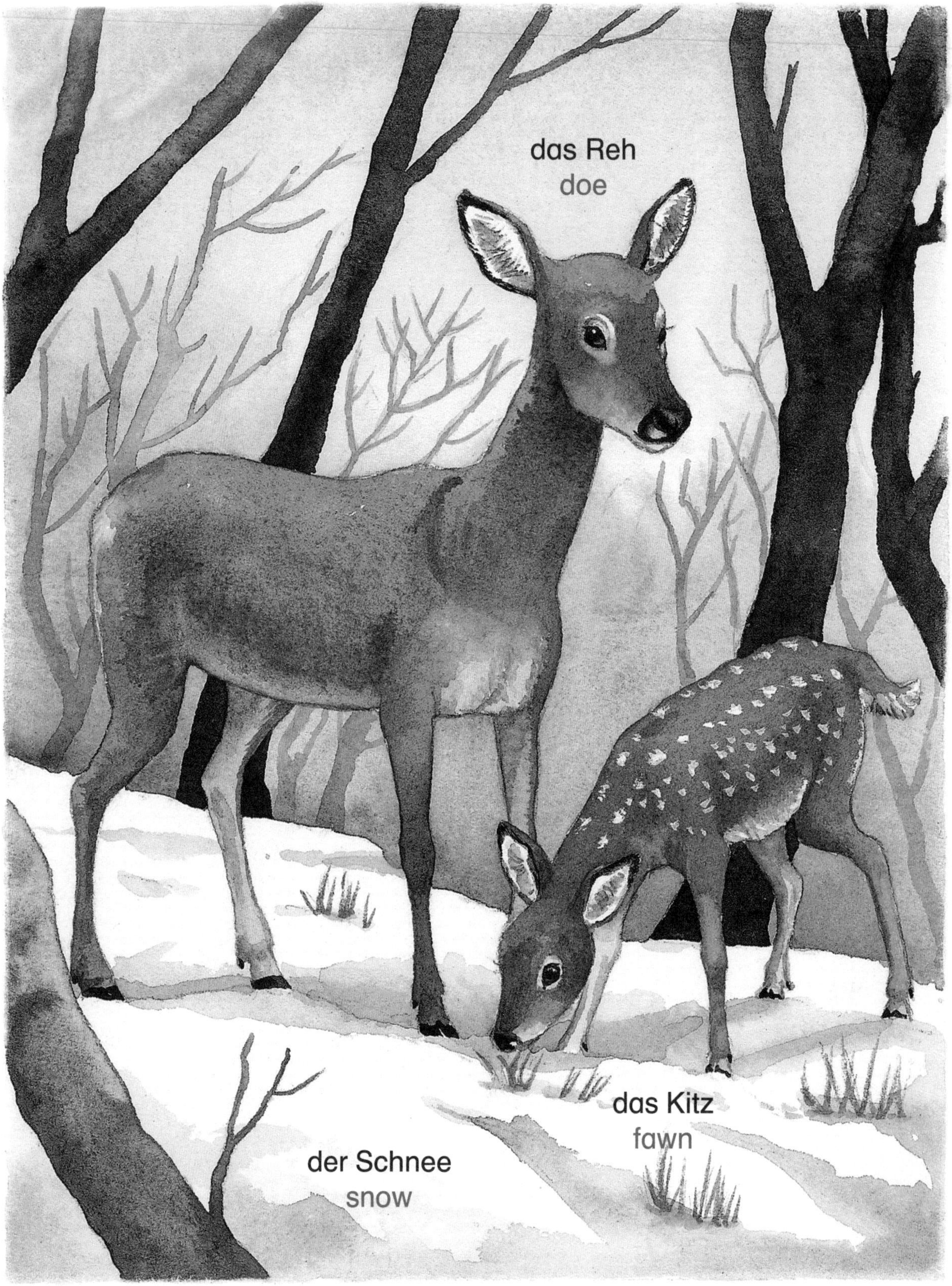

das Reh
doe
das Kitz
fawn
der Schnee
snow

Das Reh ernährt sich
von Blättern und Gras.
The doe feeds on
leaves and grass.

Die weißen Flecken
tarnen das Kitz.
The white spots
disguise the fawn.

Der Rehbock trägt
ein kleines Geweih.
The roebuck wears
small antlers.

Ein Reh kann
sehr schnell laufen.
A doe can
run really fast.

Der U-Bahnhof/underground station

Fahrkarten kann man am
Fahrkartenutomaten kaufen.
Tickets can be bought
at the ticket machine.

Die U-Bahn fährt
durch lange Tunnel.
The underground train travels
through long tunnels.

Die Waggons bieten Platz für viele Fahrgäste.
Sie schlafen, lesen oder reden miteinander.
The wagons offer room for many passengers.
They sleep, read or talk to each other.

Am Teich/at the pond

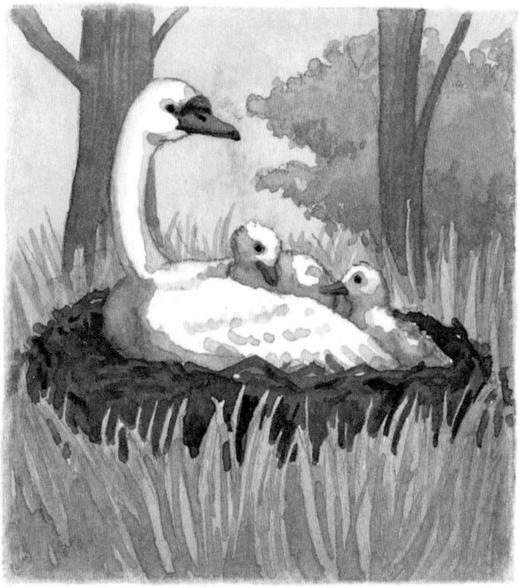

Der Schwan beschützt
die Jungen.
The swan protects
the little ones.

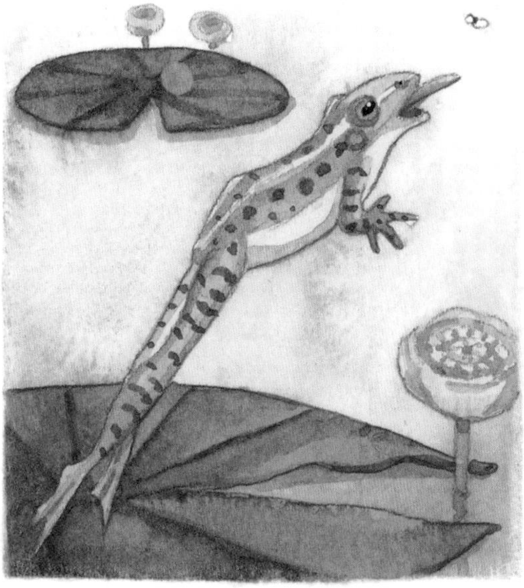

Ein Frosch fängt
eine Fliege.
The frog catches
a fly.

Der Fisch kann mit seinen
Kiemen unter Wasser atmen.
The fish can breathe under
water with its gills.

Entenküken bleiben
bei ihrer Mutter.
Ducklings remain
with their mother.

Der Betonmischer/cement mixer

Die Mischtrommel dreht sich, um Beton zu mischen.
The mixing drum rotates to mix concrete.

Beton fließt aus der Mischtrommel.
Concrete flows from the mixing drum.

An der Küste/at the seaside

Möwen können
hervorragend fliegen.
Seagulls can
fly very well.

Herzmuscheln leben
im Watt.
Cockles live
in the mudflat.

Seehunde ruhen sich auf der Sandbank aus.
Seals rest on the sandbank.

Der Mähdrescher/harvester

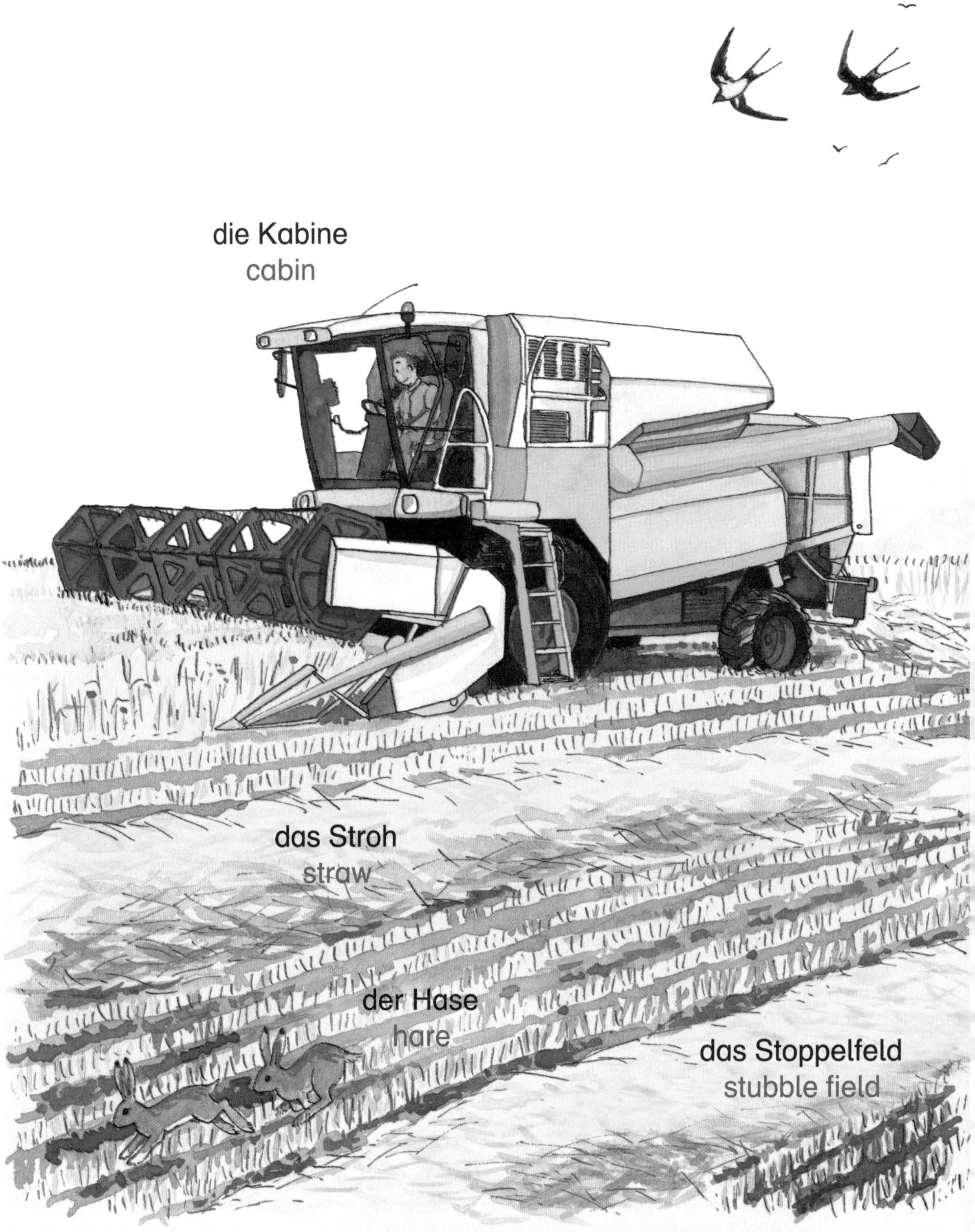

Der Mähdrescher schneidet
das Getreide.
The harvester cuts
the corn.

Das leere Stroh fällt
aus dem Mähdrescher.
The empty straw falls
from the harvester.

Die Getreidekörner werden
im Anhänger gesammelt.
The grains are collected
in the trailer.

Die Körner werden gemahlen
und zu Mehl verarbeitet.
The grains are ground
and made to flour.

Das Eichhörnchen/squirrel

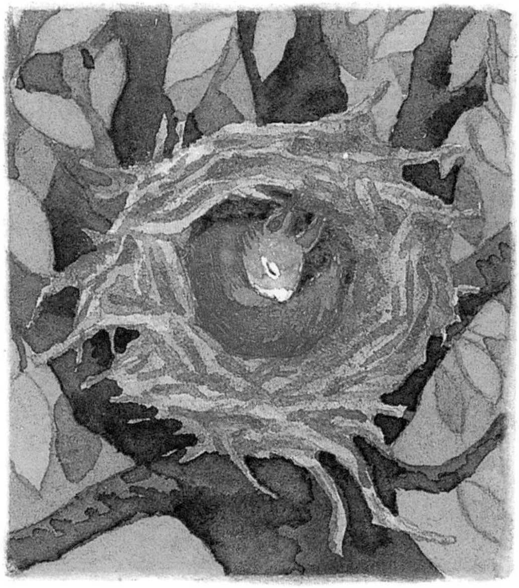

Das Eichhörnchen schläft
in einem Kobel.
The squirrel sleeps
in a drey.

Es frisst Samen
aus einem Tannenzapfen.
It feeds on seeds
from a fir cone.

Eichhörnchen leben in Bäumen.
Sie springen von Ast zu Ast.
Squirrels live in trees.
They jump from branch to branch.

Der Abschleppwagen/tow truck

Der Abschleppwagen befördert das Auto zu einem Abstellplatz.
The tow truck carries the car to a car park.

Der Ladekran hebt das Auto vom Abschleppwagen.
The loading crane lifts the car from the tow truck.

Das Auto wird mit der Seilwinde aus dem Graben gezogen.
The car is pulled out of the ditch with the winch.

Wörterliste/list of words

A

Abschleppwagen .... 56 **tow truck**
Abstellplatz .... 57 **car park**
Acker .... 36 **field**
Ampel .... 24 **traffic lights**
Anhänger .... 37 **trailer**
Apfel .... 22 **apple**
Ast .... 54 **branch**
Auspuff .... 30 **exhaust pipe**
Austernfischer ...... 50 **oystercatcher**
Auto .... 24 **car**

B

Bagger .... 40 **excavator**
Baggerführer .... 40 **operator**
Baggerschaufel ..... 41 **excavator bucket**
Ballen .... 27 **bale**
Ballenpresse .... 26 **baler**
Bauarbeiter ..... 30, 48 **builder**
Bauer .... 35 **farmer**
Bauernhof .... 37 **farm**
Bauernhoftier ...... 34 **farm animal**
Baum .... 8 **tree**
Beton .... 49 **concrete**
Betonmischer .... 48 **cement mixer**
Biene .... 16 **bee**
Bienenstock .... 17 **beehive**
Blatt .... 16 **leaf**
Blattlaus .... 17 **plant louse**
Blaulicht .... 10 **blue light**
Bürgersteig .... 24 **pavement**
Bus .... 18 **bus**
Busfahrer .... 18 **bus driver**
Busch .... 8 **bush**
Butter .... 13 **butter**

E

Eichhörnchen ..... 8, 54 **squirrel**
Eintrittskarte .... 32 **entrance ticket**
Elefant .... 33 **elefant**
Ente .... 46 **duck**
Entenküken .... 47 **duckling**
Erde .... 23 **soil**
Eule .... 8 **owl**

F

Fahrgast .... 44 **passenger**
Fahrkarte .... 15 **ticket**
Fahrkartenautomat .. 14 **ticket machine**
Fahrkartenschalter .. 15 **ticket counter**
Fahrplan .... 18 **time table**
Ferkel .... 38 **piglet**
Feuer .... 11 **fire**
Feuerwehr .... 10 **fire brigade**
Feuerwehrmann ..... 10 **firefighter**
Fisch .... 33 **fish**
Fleck .... 43 **spot**
Fliege .... 47 **fly**
Fohlen .... 27 **foal**
Frosch .... 46 **frog**
Fuchs .... 8 **fox**
Fuchsbau .... 9 **foxhole**
Führerhaus .... 36 **driving cab**
Fußgänger .... 24 **pedestrian**

G

Garten .... 22 **garden**
Gepäckwagen ...... 14 **luggage trolley**
Getreide .... 53 **corn**
Getreidekorn .... 53 **grain**
Geweih .... 43 **antlers**
Giraffe .... 32 **giraffe**
Gleis .... 44 **track**
Graben .... 57 **ditch**
Gras .... 13 **grass**
Grube .... 17 **hollow**

H

Haltestelle .... 18 **bus stop**
Hase .... 16 **hare**
Heckklappe .... 26 **rear flap**
Herzmuschel .... 51 **cockle**
Heuballen .... 26 **hay bale**
Hund .... 20, 26, 34 **dog**
Hundehütte .... 35 **doghouse**
Hundekorb .... 20 **dog basket**
Hydrant .... 11 **hydrant**